Profiadau cyntaf

Mynd i'r ysgol

Anne Civardi
Golygwyd gan Michelle Bates
Lluniau gan Stephen Cartwright
Dyluniwyd y clawr gan Neil Francis
Trosiad gan Hedd a Non ap Emlyn

Mae hwyaden fach felen yn cuddio ar bob tudalen ddwbl. Alli di ddod o hyd iddi?

Dyma Mr a Mrs Owen a'r teulu.

Mae Siôn a Siân yn efeilliaid. Yfory, maen nhw'n mynd i'r ysgol am y tro cyntaf.

Dyma'u cartref nhw.

Maen nhw'n byw uwchben Mr a Mrs Ifans a Iona. Mae Iona'n mynd i'r un ysgol â'r efeilliaid.

Mae Mr a Mrs Owen yn deffro Siôn a Siân.

Mae'n 8 o'r gloch y bore. Mae'n bryd iddyn nhw baratoi ar gyfer yr ysgol. Mae Siôn a Siân yn codi ac yn gwisgo.

Maen nhw'n bwyta'u brecwast.

Yna mae'r efeilliaid yn gwisgo'u hesgidiau a'u cotiau. Mae Iona'n barod i fynd i'r ysgol gyda nhw.

Maen nhw i gyd yn mynd i'r ysgol.

Ar y dechrau, mae Siân braidd yn swil. Mae Mrs Roberts, yr athrawes, yn dweud wrth Mrs Owen am aros gyda hi am ychydig.

Mae Mr Owen yn hongian côt Siôn ar ei fachyn arbennig ei hun. Rhaid iddo fynd â Mwlsyn y jerbil adref.

Mae Siôn a Siân yn mynd i'r dosbarth.

Mae llawer o bethau i'w gwneud yn yr ysgol fel peintio, tynnu llun, darlunio a gwisgo i fyny.

Mae rhai plant yn gwneud pethau allan o bapur ac mae plant eraill yn gwneud pethau allan o glai. Beth mae Siôn a Siân yn ei wneud?

Maen nhw'n mwynhau gwneud pethau.

Mae dau o'r athrawon yn helpu'r plant i wneud dillad bach i'w hongian ar lein fach. Byddan nhw'n mynd â'r rhain adref.

Mae'n amser canu.

Mae Miss Dot, yr athrawes gerdd, yn dysgu llawer o ganeuon iddyn nhw. Maen nhw'n dysgu sut i ganu offerynnau cerdd hefyd.

Mae'n bryd cael egwyl.

Am 11 o'r gloch, mae pawb yn cael diod a rhywbeth i'w fwyta.
Mae syched ar Siôn a Siân.

Mae’n amser stori.

Mae Mrs Roberts yn dweud stori am deigr mawr o’r enw Samson. Beth mae Siôn yn ei wneud nawr?

Mae'r plant yn mynd allan ar y cae.

Mae llawer o bethau diddorol ar y cae. Mae tractor, cylchoedd, peli a beic yno.

Mae Siân yn mynd i lawr y llithren. Mae Siôn yn chwarae yn y tywod. Ond mae Iona'n chwarae gyda rhywbeth arall.

Mae'n bryd i Siôn a Siân fynd adref.

Maen nhw wedi cael diwrnod hapus yn yr ysgol – a Iona hefyd.

Maen nhw wedi gwneud llawer o ffrindiau newydd.

Fersiwn wedi'i diweddaru yw hon a gyhoeddwyd gyntaf gan Usborne Publishing Cyf 1992 dan y teitl *Going to School*.
Cyhoeddiad Cymraeg 2013 gan Wasg y Dref Wen, yn seiliedig ar fersiwn flaenorol a gyhoeddwyd gyntaf yn 2001.
Cyhoeddwyd gyda chymorth ariannol Cyngor Llyfrau Cymru.
Cyhoeddwyd gan Wasg y Dref Wen Cyf., 28 Ffordd yr Eglwys, Yr Eglwys Newydd, Caerdydd CF14 2EA Ffôn 029 20617860.